FOLIO CADET

Traduit de l'anglais
par Vanessa Rubio

Maquette : Didier Gatepaille

ISBN : 978-2-07-057437-7
Titre original : *97 Ways to Train a Dragon*
Édition originale publiée par Grosset & Dunlap
une division de Putnam & Grosset Group, New York
© Kate McMullan, 2003, pour le texte
© Bill Basso,2003, pour les illustrations
© Éditions Gallimard Jeunesse ,2006, pour la traduction française
N° d'édition : 153885
Loi n° 49-956 du 16 juillet 1949 sur les publications destinées à la jeunesse
Premier dépôt légal : décembre 2006
Dépôt légal : juin 2007
Imprimé en Espagne par Novoprint (Barcelone)

Kate McMullan

L'ÉCOLE DES MASSACREURS DE DRAGONS 9

Dressez votre dragon en 97 leçons

illustré par Bill Basso

GALLIMARD JEUNESSE

Plan de l'École des Massacreurs de Dragons

EMD

Chambre de Dame Lobelia

Laboratoire du Docteur Sloup

Issue du souterrain

Salle de cours de Mordred

Bureau du directeur

Poulailler (niche de Daisy)

Salle à manger

Accès au cachot

Cour du château

Cours de récurage

Réserve de costumes de Yorick, le messager

Pour ma copine, Jane O' Connor, K. McM.

Chapitre premier

Wiglaf et Angus couraient dans les couloirs de l'École des Massacreurs de Dragons, ils ne voulaient pas être en retard au cours d'anatomie des dragons du docteur Sloup. Ce cours ne les intéressait pas particulièrement, mais le docteur Sloup avait un cheveu sur la langue, et chaque fois qu'il prononçait un « S », les trois premières rangées de la classe étaient copieusement arrosées de postillons. Il fallait donc arriver en avance pour s'asseoir dans le fond.

— Attends-moi, Wiggie ! haletait Angus.

— Tu as envie de prendre une douche ? répliqua Wiglaf en accélérant.

Mais, soudain, plaf ! il s'étala de tout son long sur le sol de pierre glacé.

Angus se pencha vers lui.

— Ça va ?

— Je… je crois.

Wiglaf se redressa avec peine.

— Tu t'es pris le pied dans cette fissure. Ou bien dans celle-là. Ou celle-là.

Angus montrait du doigt le sol craquelé.

— Quand mon oncle a décidé d'ouvrir une école, il a acheté ce château pour une bouchée de pain parce qu'il tombait en ruine.

Il aida son ami à se relever.

— Il pourrait au moins refaire le carrelage ! Mais ça lui coûterait de l'argent. Et oncle Mordred ne supporte pas de se séparer d'une seule de ses précieuses pièces d'or.

Le temps que les garçons arrivent en cours, les seules places libres se situaient dans les trois premiers rangs. Baratinus, qui aurait fait n'importe quoi pour s'attirer les bonnes grâces d'un professeur, était assis au troisième rang. Ils allaient s'installer à côté de lui lorsque Wiglaf aperçut son amie Érica qui lui faisait signe.

— Angus ! Érica nous a gardé des places dans le fond.

Ils s'empressèrent de la rejoindre. Érica était toujours à l'heure. C'était en partie pour cela qu'elle remportait chaque mois la médaille du Meilleur apprenti Massacreur de Dragons. Elle avait aussi gagné tous les pin's de l'EMD. Wiglaf, lui, n'avait que celui de Meilleur Laveur de Vaisselle. Angus, lui, n'en avait aucun. Mordred répétait souvent :

— Si seulement tous les élèves pouvaient être comme Éric !

Ça faisait sourire Wiglaf, car si tous les élèves avaient été comme Éric, l'EMD aurait été une école de filles ! Le directeur aurait été surpris d'apprendre qu'Éric était en réalité la princesse Érica. Mais seuls Wiglaf et Angus connaissaient sa véritable identité.

Ils se glissèrent sur les chaises qu'elle leur avait gardées en murmurant :

— Merci !

Corentin Crétin était assis au dernier rang, juste derrière Wiglaf. Il lui rota dans l'oreille.

En temps normal, jamais Wiglaf n'aurait accepté de s'asseoir à proximité de la grosse brute de la classe. Mais il préférait encore les rots aux postillons.

— Sssilence, très sssers zélèves !

Le docteur Sloup tapota son bureau du bout de sa règle.

— Auzourd'hui, nous zallons zétudier les zeunes dragons, ou dragonnets, comme on les zappelle. Regardez l'imaze, sss'il vous plaît.

Il désigna un croquis affiché au mur. Il représentait un nid énorme, garni d'œufs roses et orange.

— La dragonne prépare ssson nid en creuzant une fossssse dans le ssssol, expliqua le docteur Sloup. Elle la tapissssse de

branssssses et de moussssse, puis elle pond
trois zœufs. Zoup ! Zoup ! Zoup !

Il pointa le schéma du bout de sa règle.

— Les zœufs sont gros comme des ssssi-
trouilles. Ssssertains sont tasssetés de roze.
D'autres sssont à pois zoranze. Les dragonnets ssssortent de l'œuf. Zip ! Zip ! Zip !

Il produisit un nouveau croquis montrant
trois œufs venant d'éclore. Les bébés dragons étaient englués dans une sorte de bave
verte et visqueuse.

— Beurk ! s'écrièrent tous les élèves en
chœur.

— Je les trouve plutôt mignons, moi, chuchota Wiglaf.

— Ça ne m'étonne pas de toi, lui répondit
Angus.

— Les dragonnets mâles ont les zoreilles
rozes. Les dragonnettes, elles, ont les
zoreilles oranze. Les zeunes dragons
poussssssent des petits cris : « Tsssip !
Tsssip ! Tsssip ! » Ils zouent. Ils zaiment
ssss'amuzer.

Wiglaf écoutait d'une oreille attentive le zozotant discours du docteur Sloup sur les bébés dragons. Il y avait trois petits par portée. Et lorsqu'un dragonnet ouvrait les yeux, il avait immédiatement le coup de foudre pour la personne qu'il voyait en premier (en général la maman dragon).

Le docteur Sloup leur montra une image de dragonnet tout propre. Il avait des yeux jaunes et brillants, avec la pupille rouge cerise, et une petite crête sur la tête. Wiglaf avait envie de le serrer dans ses bras.

— Attenssssion ! les avertit le professeur. Ne prenez zamais un dragonnet dans vos bras. Car la première ssssoze que leur mère leur apprend, c'est de pinsssser, sssortir les griffffes et de crassser du fffeu. Et lorsssqu'un dragonnet fffait ssses bezoins, ça ne sssent pas la roze, ze vous zassssure !

— Messire ? fit Baratinus. Peut-on faire un exposé sur les dragonnets ?

— Bien sssûr, avec plaizir ! Maintenant...

— Gaaaaarde à vous ! tonna une voix.

Le directeur, Mordred le Merveilleux, venait de surgir dans la classe, sa grande cape de velours rouge flottant derrière lui.

— Vous étudiez les dragonnets, c'est ça, Sloup ? dit-il. Bien, j'ai une grave nouvelle à vous annoncer. Aux alentours de la Saint-Globule, les inspecteurs académiques doivent venir faire une visite surprise à l'EMD. Et si notre école n'est pas irréprochable, ils la FERMERONT !

Sa voix tonitruante fit trembler le plafond fissuré.

— Attention, Messire ! s'écria Wiglaf tandis qu'un gros morceau de pierre venait s'écraser par terre, manquant de peu la tête du directeur.

— Nom d'un dragon ! pesta-t-il en faisant un bond de côté.

Il leva les yeux pour examiner le plafond.

— Il faudra me réparer ça, décida-t-il en époussetant sa cape. Bref, je suis venu vous dire que tous les cours étaient suspendus.

Des cris de joie fusèrent.

— Je vous libère afin que vous puissiez participer au tout premier Défi-Ménage de l'EMD !

— Ouais ! brailla Corentin Crétin, qui n'avait rien écouté.

— Les deuxièmes et troisièmes années sont chargés de réparer, restaurer, rafistoler, poursuivit Mordred. Quant à vous, les premières années, vous devrez tout laver, balayer, brosser, nettoyer, récurer, dépoussiérer, détoiledaraigniser, du sol au plafond ! L'EMD passera l'inspection !

Tous les élèves poussèrent un gémissement, même Érica.

— Et si vous voyez quelqu'un qui rechigne à la tâche, venez me le dire à l'oreille. Vous savez ce que vous gagnerez ?

— Le pin's du Rapporteur ! s'écria Baratinus.

— Oui, un beau pin's jaune ! confirma Mordred.

Wiglaf n'avait aucune envie de gagner le pin's du Rapporteur. C'était l'un des rares badges qui n'étaient pas épinglés sur la tunique d'Érica.

— Et j'ai un nouveau pin's pour vous, les petits gars.

Mordred brandit un badge noir portant les initiales « PP » en rose.

— Je voudrais deux volontaires pour cette mission spéciale.

Wiglaf et Angus s'enfoncèrent dans leurs chaises. Ils se méfiaient des « missions spéciales » de Mordred.

— J'ai besoin de deux garçons pour aller ramasser toutes les saletés que j'ai jetées… euh, je veux dire, qui ont été jetées sur les bords de la rivière Boueuse.

Les deux copains se ratatinèrent tellement qu'ils étaient presque assis par terre.

— Ceux qui rempliront cette mission devront être revenus à l'EMD à l'heure du petit déjeuner, précisa Mordred, afin de pouvoir aider les autres pour le grand ménage du château.

Érica leva la main.

— Je me dévoue !

— Non, pas toi, Éric, répliqua Mordred. Je t'ai réservé une mission de récurage spéciale.

Ses yeux violets allaient d'un garçon à l'autre. Wiglaf n'osait même plus respirer.

C'est alors qu'il sentit quelque chose le chatouiller dans la nuque. Derrière lui, Corentin Crétin ricanait. Wiglaf voulut écarter d'un revers de main ce qui le grattait. C'était… poilu. Beurk ! Une araignée velue ! Elle planta ses mandibules dans le doigt de Wiglaf qui se mit à hurler :

— Aïïïïe !

Il se leva d'un bond, agitant la main pour se débarrasser de la bestiole. Elle était de la taille d'un cochon d'Inde !

— Ah, un volontaire ! s'exclama Mordred en regardant Wiglaf.

Corentin Crétin était plié en deux de rire.

— Wiglaf et qui d'autre ?

Le regard de Mordred tomba sur son voisin de table.

— Angus, mon neveu ! Tu passes ton temps à réclamer à manger, un peu d'exercice te fera le plus grand bien !

— Non, oncle Mordred ! Par pitié ! supplia-t-il.

Le directeur sourit.

— Demain, dès l'aube, à l'heure où je dormirai dans mon lit, vous irez ramasser les saletés le long de la rivière Boueuse. Vous prendrez votre matériel au corps de garde à IV heures du matin précises. Mes félicitations, vous êtes les deux premiers membres de la Patrouille Poubelle !

Chapitre deux

Wiglaf ouvrit un œil. Dans la pénombre, il consulta le sablier phosphorescent d'Érica. Il était IV heures moins le quart.

— Angus ? Tu dors ?

— Oui, et je rêve que je suis dehors dans un marais glacé à ramasser des ordures. Un vrai cauchemar !

Wiglaf resta sous sa couverture tandis qu'il enfilait sa tunique. Lorsque Angus fut prêt, les poches pleines de casse-croûte pour la route, les deux amis sortirent du château sur la pointe des pieds. Devant le corps de garde, ils trouvèrent un tas de sacs en toile de jute. Leur matériel sous le bras, ils poussèrent la grande porte en bois de l'EMD et traversèrent le pont-levis branlant au clair de lune.

Wiglaf inspira l'air de la nuit.

— Pouarc ! Qu'est-ce que ça sent ?

— Potaufeu doit avoir jeté ses restes au pied de la muraille.

Le cuisinier de l'EMD avait l'art d'accommoder les restes. Mais quand un ragoût d'égout ou une tarte aux anguilles commençait à verdir et à se couvrir de champignons, il se résignait à la jeter par la fenêtre de la cuisine, sur un gros tas d'ordures.

Les garçons s'éloignèrent au pas de course pour échapper à la puanteur. Ils marchèrent, marchèrent, marchèrent… Le ciel commençait à rosir lorsqu'ils arrivèrent au bord de la rivière Boueuse. Il faisait assez clair pour voir que le rivage était jonché de bouts de chandelles, de vieilles godasses, de morceaux d'armure rouillés, d'os de poulet

et d'innombrables bouteilles d'hydromel —
vides bien entendu.

— Je fais une pause, décréta Angus.

— Mais on n'a même pas commencé !
protesta Wiglaf.

Son ami s'assit sur un rocher et ferma les
yeux.

Muni d'un sac, Wiglaf se mit à ramasser
les déchets le long de la rive. Son sac fut
bientôt plein à ras bord.

— Et un sac, un ! annonça-t-il.

— Beau travail, le félicita Angus.

Wiglaf soupira et partit dans l'autre sens.
Mais, soudain, il marcha sur un truc glissant. Son pied dérapa et il tomba sur les
fesses. Plof ! Il avait atterri sur quelque
chose de mou. Il se redressa avec précau-
tion et remua la tête. Il n'avait mal nulle
part, mais il était au beau milieu d'une
flaque de liquide vert et visqueux !

— À l'aide, Angus !

Son ami s'approcha d'un pas lourd et se
pencha vers lui.

— Sors-moi de là, Angus, le supplia-t-il en lui tendant une main verte et gluante.

Angus recula d'un pas.

— Beurk !

Puis il fronça les sourcils.

— Wiggie, tu es assis dans un nid.

— C'est vrai ?

Il regarda autour de lui. Effectivement. Il était dans un nid — un nid avec des morceaux de coquille dedans. Des coquilles roses et orange. Les mots du docteur Sloup lui revinrent en mémoire. Les œufs de dragon étaient rose ou orange. Et les dragonnets qui venaient de naître étaient couverts de bave verte.

Wiglaf écarquilla les yeux.

— Je crois que je suis assis dans un nid de dragon, Angus. Et regarde ! Il y a un œuf pas encore éclos !

Angus sauta dans le trou.

Il se pencha vers l'œuf orange vif. Il était de la taille d'une petite citrouille.

— Un œuf de dragon…

Angus le fixa, rêveur.

— Tu sais à quoi je pense, Wiggie ?

— Oui !

— Un œuf de dragon brouillé… miam, fit Angus en se léchant les babines.

— Non ! Je ne pensais pas à ça ! Angus, l'œuf est tout chaud. Il va sans doute donner naissance à un petit dragonnet.

— Je parie que c'est un garçon, affirma Angus. Sinon il aurait éclos en même temps que les autres. Enfin, bref, tu as entendu ce qu'a dit le docteur Sloup. Les dragonnets sont des sales bêtes.

— Il a dit que les mamans dragons leur apprenaient à pincer, griffer, cracher du feu, corrigea Wiglaf. Mais peut-être qu'à la naissance, ils sont gentils. On n'a qu'à rapporter l'œuf au château, on verra bien.

— Tu as pris un coup sur le casque ou quoi ?

— On ne peut pas le laisser ici tout seul. Ce sera notre petit dragonnet à nous. Allez, Angus ! Tu n'aimes pas les animaux ?

— J'adore les animaux, ce sont les animaux qui ne m'aiment pas.

— Pourquoi tu dis ça ?

— C'est vrai ! Regarde ton cochon, Daisy, elle n'ose pas s'approcher de moi.

— C'est parce que tu répètes sans arrêt que tu raffoles du jambon, expliqua Wiglaf.

— Et quand j'entre dans le poulailler, toutes les poules s'enfuient, affolées.

— Forcément, tu as dit devant elles que tu mangerais bien une bonne cuisse de poulet !

— Une fois, ma mère m'a acheté un poisson rouge, poursuivit Angus. Dès que je le regardais, il se cachait derrière sa petite plante.

— Tu n'as pas encore trouvé le bon animal, voilà, affirma Wiglaf. Peut-être que c'est le dragonnet ! Allez, Angus ! Aide-moi à ramener l'œuf à l'EMD.

Il l'enveloppa soigneusement dans un sac en toile. Angus tendit un autre sac ouvert et Wiglaf y glissa l'œuf emballé. Puis ils retournèrent à l'école.

— Oh non ! s'exclama Angus. Regarde, oncle Mordred nous attend sur le pont-levis.

Wiglaf posa discrètement le sac qui contenait l'œuf par terre, puis se mit à le traîner comme si ce n'était rien de plus qu'un sac d'ordures.

Les garçons s'arrêtèrent sur le talus qui faisait face au pont-levis.

— Bonjour, tonton ! lança Angus.

— Quoi ? tonna Mordred. Vous n'avez ramassé que ça, bande de paresseux !

Soudain, le sac qui contenait l'œuf se mit à remuer et à dévaler le talus. Wiglaf le rattrapa de justesse.

— Qu'est-ce qu'il y a dans ce sac, fiston ? voulut savoir le directeur.

— Euh… rien d'extraordinaire, Messire.

Une étincelle brilla dans les yeux violets de Mordred.

— Vous avez attrapé un crapouillot des marais, c'est ça ? Ooh, j'adore le crapouillot des marais rôti. Vous voulez le garder pour vous, hein ?

— Mais non, Messire ! se défendit Wiglaf. Je… je n'ai même jamais vu de crapouillot des marais de ma vie !

— Ne me raconte pas d'histoires, fiston ! beugla Mordred. Donne-moi ce sac !

— Tiens, prends celui-ci, oncle Mordred !

Angus souleva son sac… du mauvais côté. Toutes les ordures dégringolèrent, couvrant son oncle d'os de poulet, de vieilles godasses et de bouteilles d'hydromel.

— Oups, pardon, tonton !

— Incapable ! rugit Mordred. Tu es viré ! Et toi aussi, Wiglaf ! Vous pouvez dire adieu à vos pin's de Patrouille Poubelle.

Les garçons filèrent sans demander leur reste, le sourire aux lèvres. Ouf, finie la corvée de Patrouille Poubelle !

Une fois rentrés dans le château, ils montèrent les marches quatre à quatre, croisant leurs pauvres camarades qui récuraient les escaliers à genoux.

Au deuxième étage, ils se faufilèrent dans la grande galerie des Ancêtres. Ils passèrent devant les statues des pères fondateurs de l'école, Messires Hubert Vieudonjon et Isidore de Boutentrain ; devant les sculptures en marbre des plus célèbres chevaliers et des dragons qu'ils avaient massacrés ; devant un buste de Mordred. Wiglaf renifla. L'odeur de la grande galerie des Ancêtres lui rappelait un parfum de son enfance. Mais lequel ? Il n'arrivait pas à s'en souvenir.

Au bout de la galerie, Wiglaf aperçut Érica. Elle frottait le mur pour effacer une inscription en grosses lettres noires :

AU SECOURS ! JE SUIS RETENU PRISONNIER DERRIÈRE CE MUR !

Une blague vieille comme le monde. Du moins, Wiglaf espérait que c'était une blague.

Ils croisèrent alors Baratinus qui nettoyait une antique fontaine rouillée.

— Ce n'est pas juste ! leur lança-t-il. Pourquoi vous ne participez pas au grand nettoyage ?

— On est la Patrouille Poubelle, lui rappela Angus. Et il faut qu'on aille jeter ces ordures.

Lorsqu'ils arrivèrent enfin dans le dortoir, il soupira :

— Ouf ! il n'y a personne.

Wiglaf déposa le sac sur son lit et en sortit l'œuf pour admirer sa belle couleur orangée.

— Salut, dragonnet ! chuchota-t-il.

Puis il se tourna vers son ami.

— Je peux le cacher sous ton lit ? Il y a tellement de bazar là-dessous que personne ne le remarquera.

— Mais s'il éclôt, toutes mes affaires seront couvertes de bave verte.

— Ce ne sera pas avant un moment. Et puis, on sera revenus avant qu'il sorte de l'œuf. On verra quand il commencera à percer la coquille.

— Bon, d'accord.

Angus s'agenouilla et sortit un tas de tuniques, chausses et culottes roulées en boule.

Wiglaf enveloppa l'œuf dans son linge sale, puis il le glissa sous le lit.

— Ne sors pas tout de suite de ton œuf, dragonnet. Attends-nous.

Chapitre trois

Lorsque les garçons arrivèrent dans la salle à manger, elle était déserte.

— Vous avez raté le petit déjeuner, leur annonça Potaufeu. Mais vous avez de la chance, il me reste de la bouillie d'anguille.

Il leur tendit des bols fumants.

Wiglaf fixa la pâtée grise et pleine de grumeaux. Même Angus se boucha le nez.

Mais comme il n'y avait rien d'autre, ils finirent par vider leur bols avant d'aller rejoindre leurs camarades de classe. Tout en frottant, Wiglaf pensait à l'œuf orange. Il se demandait à quoi pouvait bien ressembler le dragonnet qui se trouvait à l'intérieur. Ferait-il « tchip, tchip » ? Aurait-il de petites ailes ?

Lorsque, le soir, Angus, Wiglaf et les autres regagnèrent leur dortoir en titubant, ils étaient trop épuisés pour parler.

Angus se laissa tomber tout habillé sur son lit et, deux secondes plus tard, il ronflait.

Wiglaf, lui, s'assit sur son lit. Il avait envie de jeter un coup d'œil à l'œuf pour voir s'il commençait à se fendiller. Mais il fallait attendre que tout le monde dorme. Il était en train d'ôter ses bottines, lorsque Érica arriva.

— Wigounet ! s'exclama-t-elle. Le tapis que j'ai commandé sur le catalogue de Messire Lancelot est arrivé !

Wiglaf la suivit. Elle avait déjà accroché une tapisserie de Messire Lancelot au mur et, au pied du lit, se trouvait maintenant un petit tapis représentant le légendaire chevalier en armure.

— Bel objet, commenta-t-il.

Il aurait aimé lui parler de l'œuf de dragon, mais il ne voulait pas risquer que Baratinus l'entende.

— Ce n'est pas tout, poursuivit Érica. Je suis dans la Patrouille Poubelle.

— Félicitations ! fit Wiglaf en voyant qu'elle avait déjà épinglé le pin's « PP » sur sa tunique.

— Je vais travailler avec Baratinus, ajouta-t-elle. Mais Mordred m'a nommée capitaine ! Il faut vite que je dorme. Bonne nuit, Wigounet.

— Bonne nuit.

Wiglaf retourna se coucher sous sa fine couverture usée jusqu'à la trame.

Une fois les torches éteintes, il laissa ses yeux s'accoutumer à la pénombre. Lorsqu'il fut sûr que tout le monde dormait, il s'agenouilla et tira le nid de linge sale de sous le lit d'Angus. L'œuf était toujours chaud. Il le tâta pour voir si la coquille était fendillée, mais ne trouva rien.

— Tu n'es pas encore prêt à éclore, dragonnet ? chuchota-t-il.

Il souleva alors sa couverture et déposa l'œuf au bout de son lit. Aaaah ! Quel bonheur d'avoir les pieds bien au chaud. Wiglaf ferma les yeux. Il était bien content que le Défi-Ménage soit terminé. Mais l'EMD allait-elle passer avec succès l'inspection ? Il en doutait. À moins que les inspecteurs aient vraiment une mauvaise vue. Et le nez bouché.

Tac-tac ! Tac-tac !

Le bruit tira Wiglaf de ses rêves. Il s'assit dans son lit.

Tac-tac ! Ça recommençait !

Tac-tac-tac-tac-tac-tac-tac-tac !

Soudain, il comprit de quoi il s'agissait. L'œuf était en train d'éclore !

Tac-tac-tac-tac !

Une faible lueur éclairait la pièce. Sa mini-torche à la main, Érica s'approcha du lit de son ami.

TAC-TAC-TAC-TAC-TAC-TAC-TAC !

— Wigounet ? chuchota-t-elle. Qu'est-ce qui se passe ?

— Assieds-toi, Érica. J'ai quelque chose à te dire, répondit-il à voix basse.

Lorsqu'il lui eut confié son secret, elle s'écria :

— C'est une blague ?

TAC-TAC-TAC !

— Pas du tout !

Wiglaf souleva sa couverture. La coquille était maintenant toute craquelée.

CRAC !

Wiglaf et Érica sursautèrent en voyant une petite tête sortir de l'œuf, coiffée d'un morceau de coquille orange. Le dragonnet avait un long cou. Et un petit museau. Ses yeux étaient fermés.

— Un bébé dragon ! souffla Érica.

— Il a les oreilles roses, constata Wiglaf. C'est un garçon.

Le dragonnet bâilla. Wiglaf n'avait jamais rien vu d'aussi mignon. Il tendit la

main pour le caresser, mais le petit dragon rentra bien vite dans sa coquille.

Soudain, *boing !* une patte griffue sortit de la base de l'œuf.

Boing ! Une autre patte.

Boing ! Boing ! Et les deux pattes avant.

La petite tête réapparut. Le dragon était à moitié sorti de sa coquille orange.

— Salut, dragonnet, murmura Wiglaf.

L'animal se tourna vers lui, guidé par le son de sa voix, mais ses yeux restaient fermés. Juste à ce moment-là, Angus grogna dans son sommeil.

Le bruit effraya la bête, qui rentra vite sa tête en poussant un petit tchip !

— Qu'est-ce que… ?

Angus ouvrit un œil et aperçut le dragonnet dans son œuf. Il s'assit, soudain parfaitement réveillé.

— Par la lance de Messire Lancelot ! s'écria-t-il.

— Chut ! fit Wiglaf. Tu vas réveiller tout le dortoir.

Le dragonnet ressortit la tête. Dans un dernier effort, il fit passer sa queue à travers la coquille. Un beau bébé dragon était maintenant assis au bout du lit de Wiglaf. Il n'était pas aussi poisseux que sur les dessins du docteur Sloup. Et il n'était pas plus gros qu'un petit lapin.

— Incroyable ! souffla Angus.

— Adorable ! ajouta Wiglaf.

— Interdit ! leur rappela Érica.

— Non, se défendit Wiglaf, le règlement ne précise pas qu'on n'a pas le droit de faire éclore des œufs de dragon dans le dortoir.

Le dragonnet fit deux pas chancelants avant de tomber sur son petit derrière.

— Ses premiers pas ! s'extasia Wiglaf, tout fier.

— Bon, je vais le ramener à son nid en faisant la Patrouille Poubelle, proposa Érica.

— Impossible ! Il n'a personne pour s'occuper de lui.

— Oui, renchérit Angus, il n'aurait rien à manger.

C'est alors que le dragonnet tendit le cou en criant :

— *Vrrrrrrsssss !*

Wiglaf se mit à rire.

— Vrrrsss ? C'est ton nom ? Un peu difficile à prononcer. Que dirais-tu de Verso ?

Angus sourit.

— Salut, Verso.

— *Vrrrrsss*, répondit le dragonnet. *Vrrrrrrsssss ! Vrrrrrrsssss !*

Il ouvrit la bouche et agita sa langue fourchue.

— Il a faim, décréta Angus. Je vais lui donner quelque chose de ma réserve secrète.

Wiglaf et Érica étaient stupéfaits en entendant cela. Chaque semaine, la mère d'Angus lui envoyait des friandises qu'il entassait dans sa réserve secrète, mais qu'il refusait obstinément de partager. Jusqu'à aujourd'hui.

Il se tourna vers le mur, à côté de son lit, appuya sur une pierre branlante et la sou-

leva. Wiglaf et Érica étaient bouche bée.
C'était donc là sa cachette ! Angus en sortit
un paquet de Vieumallows.

— Ne le dites à personne, leur recommanda-t-il en leur donnant un bonbon à
chacun.

Puis il se pencha vers le dragonnet.

— Tiens, petit Verso !

Sans ouvrir les yeux, l'animal prit le
Vieumallows qu'il lui tendait.

— Il aime ça ! s'exclama-t-il.

Il lui en donna un autre, puis encore un
autre.

— Attention, ne le nourris pas trop, lui
conseilla Érica.

— Oui, il vient juste de naître, acquiesça
Wiglaf.

Le dragonnet s'approcha d'Angus en sautillant, quémandant un autre bonbon.

— On dirait qu'il m'aime bien ! s'exclama-t-il en le prenant dans ses bras.

— Le docteur Sloup a dit de ne jamais
faire ça ! s'affola Érica.

Soudain, le dragonnet ouvrit sa petite gueule et *vleurk !* la tunique d'Angus se retrouva couverte de vomi de Vieumallows tout chaud.

— Hum, bon, fit Angus en prenant une chaussette sale pour essuyer le renvoi. C'est vrai que c'est un bébé. Je me demande ce qu'il faut lui donner à manger.

Wiglaf sourit. Verso s'était endormi, la tête sur le ventre d'Angus. Il avait l'air bien installé, comme Wiglaf lorsqu'il se blottissait sur le gros oreiller en forme de licorne de la bibliothèque.

— Il ne peut pas rester ici… Et si les inspecteurs le trouvent ? s'inquiéta Érica. Ils fermeraient l'école.

— On va le cacher, chuchota Angus.

— Tu es tombé sur la tête ? répliqua Érica. Je te rappelle qu'il va grandir et devenir un monstre cracheur de feu !

— Hé, qu'est-ce que vous fabriquez ? demanda Baratinus en s'asseyant dans son lit.

— Aaah ! Baratinus ! s'écria Érica en éteignant sa torche.

Wiglaf jeta vite sa couverture sur les genoux d'Angus pour cacher le dragonnet.

— J'ai entendu du bruit, insista Baratinus. Vous mijotez quelque chose, je le sais.

— En tant que responsable du dortoir des premières années, je t'ordonne de te rendormir, Baratinus ! décréta Érica.

— Je vais trouver ce que tu caches, Éric, et je le dirai à Mordred, la menaça-t-il. Comme ça, je deviendrai l'apprenti Massacreur de Dragons du mois à ta place !

— C'est ça, dans tes rêves ! répliqua Érica.

Wiglaf attendit d'entendre Baratinus ronfler, puis il chuchota :

— C'est vrai, Verso ne peut pas rester ici.

— Oui, mais où va-t-on l'installer ? demanda Angus.

— Pourquoi pas dans le poulailler ? proposa Wiglaf. Personne n'y va jamais. Et Daisy pourrait s'occuper de lui.

Il se tourna vers Érica.

— Tu ne le diras à personne, hein, pour le dragonnet ?

— Quel dragonnet ? répliqua-t-elle. Je n'ai jamais vu de dragonnet de ma vie.

Wiglaf enfila vite sa tunique. Angus, lui, avait dormi tout habillé. Ils enveloppèrent le bébé dragon assoupi dans la couverture et sortirent du dortoir sur la pointe des pieds.

Chapitre quatre

— Daisy ? chuchota Wiglaf en se faufilant dans le poulailler. Tu dors ?

— Nonum, répondit le cochon qui parlait le latin de cuisine depuis que le mage Zelnoc lui avait jeté un sort.

— On a un problème, Daisy, annonça Wiglaf. Il s'appelle Verso.

Et il lui raconta toute l'histoire.

— Tu pourrais t'occuper de lui ? demanda Angus.

— Moyum ? s'écria Daisy, paniquée.

— On t'apportera de quoi le nourrir plus tard, promit Wiglaf. Verso sera en sécurité ici. Baratinus se doute de quelque chose. Il va sûrement aller rapporter à Mordred.

— D'accordum, fit Daisy en piétinant sa paille pour faire de la place au dragonnet.

En repartant, les deux garçons l'entendirent fredonner :

— Faisum dodum, petitum dragonum ! Faisum dodum, t'aurasum dum lolum !

Soudain, Wiglaf se figea net.

— Angus ! Je sais où l'on peut trouver ce que mangent les dragonnets… À la bibliothèque !

Son ami fronça les sourcils.

— Tu crois qu'ils mangent des livres ?

— Non ! Mais il y a sûrement un ouvrage sur les bébés dragons.

Les garçons filèrent donc vers la tour Sud. Lorsqu'ils arrivèrent en haut des cent marches vermoulues, Angus était hors d'haleine.

La bibliothèque était le seul endroit du château qui avait de grandes fenêtres laissant entrer le soleil. Et même à cette heure matinale, Wiglaf apercevait un grand pan de ciel rosé.

Frère Dave avait décoré la bibliothèque pour la rendre accueillante. Il avait mis un gros coussin en forme de licorne par terre afin que les élèves puissent s'allonger pour lire. Il avait accroché des affiches au mur. L'une d'elles représentait un chevalier qui brandissait un livre en guise de bouclier. La légende proclamait : « Avec un livre, soyez imbattable ! » Le problème, c'est que la plupart des élèves de l'École des Massacreurs de Dragons ignoraient l'existence de la bibliothèque.

— Frère Dave ? lança Wiglaf.

— Entrez donc, entrez donc. Qui vois-je en ces lieux ? Ah, Wiglaf, dit le moine en souriant. Quelle excellente idée de commencer la journée par une visite à la bibliothèque. Et notre cher Angus est là aussi. Oh joie !

— Frère Dave, nous aurions besoin d'un livre sur les bébés dragons.

Le moine se tapota le menton du bout du doigt.

— Veuillez patienter un instant, mes amis.

Il partit en boitillant vers le fond de la bibliothèque. Un instant plus tard, il émergea des rayonnages, couvert de toile d'araignée.

— Vous avez de la chance, dit-il en tendant un petit ouvrage poussiéreux à Angus.

Le garçon épousseta la couverture, où apparurent de belles lettres dorées.

— *Dressez votre dragon en 97 leçons*, déchiffra-t-il, du professeur Assicouchédebout.

Il se laissa tomber sur le gros coussin en forme de licorne, ouvrit le petit livre et se mit à lire à haute voix :

Félicitations ! Vous venez d'adopter un bébé dragon ! (Sinon, pourquoi diable êtes-vous en train de lire ce bouquin ?)

À la naissance, le dragonnet ne voit rien. Il ne sait pas marcher, mais très vite, il va passer au « stade bondissant ». Il se mettra

*à sauter sur place, de plus en plus haut et,
un jour, il déploiera ses petites ailes et s'envolera dans le ciel.*

Angus tourna rapidement les pages.

— Ah, la nourriture !

*Ne jamais donner de Vieumallows à manger à un dragonnet, il les vomirait sur votre
tunique.*

— Dommage qu'on ne l'ait pas su plus
tôt ! commenta-t-il avant de poursuivre :

*Dans la nature, la maman dragon mâche
les anguilles avant de les donner à ses
petits. Vous devez donc nourrir votre dragonnet avec de la PAP (purée d'anguilles
prémâchées).*

Angus fit la grimace et continua :

*Les dragonnets aiment l'anguille crue.
Au début, c'est répugnant, mais vous vous y
habituerez vite.*

— Beurk ! Je ne pourrai jamais faire ça !
s'exclama Wiglaf.

— Moi non plus, gémit Angus en se plongeant à nouveau dans le livre.

Bon, d'accord, si vous ne pouvez pas, tant pis, prenez des anguilles cuites, mais il faudra tout de même les mâcher !

— C'est ce qu'on fait trois fois par jour à l'EMD, remarqua Angus.

Frère Dave était aux anges.

— Quel bonheur de voir des élèves avides de savoir !

— Merci pour le livre, frère Dave, fit Angus.

— Ce fut un plaisir, Angus. Puissiez-vous revenir bientôt en ces lieux !

La veille, Angus et Wiglaf étaient arrivés trop tard pour le petit déjeuner, mais, ce jour-là, ils arrivèrent juste à temps.

Ils prirent chacun un plateau et se mirent au bout de la file. Angus se servit une triple ration d'anguilles brouillées tandis que Wiglaf prenait une pile de tartines à la confiture d'anguilles. Ça avait l'air infâme, il se demandait si le dragonnet allait aimer.

Les garçons s'assirent à la table des premières années.

Angus continuait à lire tout en engloutissant son petit déjeuner.

Les dragonnets peuvent parfois faire les difficiles, mais tous les petits dragons adorent les algues de douve, la vase de douve, la mousse de douve, la bouillasse de douve, les anguilles de douve et les chevaliers.

Wiglaf fourra quelques tartines à la confiture d'anguilles dans la poche de sa tunique.

— Un livre ? s'étonna Baratinus en dévisageant Angus. Tu sais donc lire ?

— Et toi, tu sais t'occuper de tes oignons ?

— Voyons voir de quoi il s'agit, insista Baratinus en tentant de lui arracher le livre des mains.

Mais avant qu'il ait pu le lui prendre, le directeur fit son entrée dans la salle à manger.

— Gaaaaarde à vous !

Tous les garçons bondirent de leur banc.

— Notre Défi-Ménage a bien commencé, mais je veux que cette école brille comme un sou neuf !

Les yeux de Mordred étincelèrent à la pensée d'un tas de pièces d'or.

À cet instant, un gros ours surgit dans la salle à manger.

— Alerte à l'ours ! Alerte à l'ours ! brailla Baratinus.

Le directeur se saisit de sa chaise et la souleva d'un air menaçant.

— Arrêtez, Messire ! cria l'ours en esquivant la chaise de justesse. C'est moi, votre messager, Yorick !

Mordred se figea, tenant la chaise à bout de bras.

— Yorick ?

Il la reposa.

— Quelles nouvelles, mon bon messager ?

— Les inspecteurs viennent de quitter l'École des Exterminateurs de Dragons, Messire, annonça Yorick. Ils ont perdu des points car leur cuisine était sale.

— Eh bien, ils ne trouveront pas une seule trace de saleté dans la cuisine de l'EMD, affirma Mordred.

— Devine ce qu'on va faire aujourd'hui, glissa Angus à l'oreille de Wiglaf.

— Les meilleurs gagneront un pin's de Super Nettoyeur, promit le directeur.

Quelques nouveaux élèves applaudirent sans grande conviction tandis que Mordred quittait la pièce.

Wiglaf et Angus passèrent la matinée à récurer des poêles à frire incrustées d'anguilles calcinées et des chaudrons pleins de graisse de sanglier. Ils eurent juste le temps de courir au poulailler avant le déjeuner.

— Comment va Verso aujourd'hui, Daisy ? demanda Angus.

— Tropum mignonum ! répondit le cochon en essuyant un peu de jus d'anguille qui coulait sur le menton du dragonnet.

— Verrrrrsssso ! ronronnait-il.

Wiglaf sourit. Il n'avait jamais vu Daisy aussi heureuse. Ni Angus, d'ailleurs.

Les jours suivants, les deux amis filaient au poulailler dès qu'ils avaient un moment, entre ménage et récurage. Angus se chargeait de nourrir le petit dragon, qui avait toujours faim. Mais comme Potaufeu leur servait des anguilles à tous les repas, ils n'avaient aucun mal à en garder pour Verso. Et le dragonnet grandissait à vue d'œil.

Daisy l'adorait. Elle se plaignait seulement de ses « crottum puantum ». Les poules ne semblaient pas non plus dérangées par sa présence, car le dragonnet restait dans la stalle de Daisy et ne les embêtait pas.

Un matin, lorsque les garçons arrivèrent, Daisy souleva Verso en disant :

— Regardezum !

— Oh, sa première dent ! s'écria Angus. Je me demande quand il va ouvrir les yeux.

Il prit le dragonnet des pattes du cochon et le reposa par terre.

— Mon fiston !

Mais le lendemain, lorsqu'ils ouvrirent la porte du poulailler, une nuée de poules surgit en caquetant.

— Daisy ? Daisy !

— Verso va bien ? s'inquiéta Angus.

Le cochon était roulé en boule dans un coin tandis que le dragonnet sautait dans tout le poulailler comme une balle en caoutchouc.

— Ah, il a atteint le stage bondissant, remarqua Wiglaf. Verso, viens me voir.

Le petit dragon se tourna et approcha, guidé par la voix de Wiglaf. *Boing ! Boing !* Il lui sauta dans les bras. Angus lui tendit un petit morceau d'anguilles brouillées.

Verso leva la tête, renifla et slurp ! il engloutit l'anguille.

Pendant qu'Angus lui donnait à manger, Daisy raconta à Wiglaf qu'en se réveillant le dragonnet s'était mis à sauter et que rien n'avait pu l'arrêter.

— Y a plus, Verso, annonça Angus. Fini.

— Verrrrrsssso ! siffla le dragon.

Deux petites flammes lui sortirent des naseaux.

— Il a encore faim, constata Angus.

— Je peux essayer de le nourrir ? demanda Wiglaf.

Angus croisa les bras.

— D'accord, mais juste un morceau, hein ? Je veux que ce soit moi qu'il préfère.

Wiglaf agita l'anguille sous le nez de Verso. Le dragonnet renifla. Slurp ! Il l'avala tout rond, puis il rouvrit la bouche et burp ! laissa échapper un petit rot.

Wiglaf le chatouilla sous le menton en riant. Soudain Verso ouvrit les yeux. Deux yeux jaunes avec la pupille rouge cerise. Il pencha la tête sur le côté sans cesser de fixer Wiglaf. On aurait presque dit qu'il souriait.

— Angus ! s'écria Wiglaf. Verso a ouvert les yeux.

Angus se précipita devant le petit dragon.

— Il me voit maintenant ! Allez viens, fiston ! fit-il en tapotant sa cuisse.

Mais Verso gardait les yeux rivés sur Wiglaf. Il cligna des paupières, puis ouvrit sa petite bouche rose en gazouillant :

— Mmmmmmmman-man !

Chapitre cinq

— Je suis désolé, Angus. Sincèrement désolé, s'excusa Wiglaf alors qu'ils regagnaient le château pour poursuivre le Défi-Ménage. Je n'avais aucune intention que Verso me prenne pour sa... maman.

Ils avaient laissé le dragonnet dans le poulailler. Il se reposait dans son nid, fatigué d'avoir tant sauté. Daisy avait accepté de le garder, mais en prévenant Wiglaf qu'il commençait à devenir un peu trop remuant.

— Ce n'est pas de ta faute, Wiggie, répondit Angus d'un ton sinistre alors qu'ils arrivaient dans la cuisine. Tous les animaux t'aiment. Mais j'avais l'impression de bien m'entendre avec Verso.

— C'est juste un hasard. Si Verso t'avait

vu lorsqu'il a ouvert les yeux, c'est toi qu'il appellerait « Man-man ». Mais ne désespère pas, Angus. Verso t'aime beaucoup, je le sais.

— Tu crois ?

Potaufeu le cuisinier leur tendit des seaux d'eau savonneuse et des brosses.

— Vous allez récurer les statues de la grande galerie des Ancêtres, leur ordonnat-il.

Il se pencha pour ajouter à voix basse :

— Vous savez que Mordred est près de ses sous, et c'est lui qui a fait faire ces statues. Je ne les frotterais pas trop fort si j'étais vous, les p'tits gars.

Les deux amis descendirent tant bien que mal les escaliers avec leurs seaux d'eau. Ils s'arrêtèrent devant les statues poussiéreuses des pères fondateurs de l'EMD.

— Je me charge de Messire Hubert Vieudonjon, décida Wiglaf.

— Et moi, je vais m'occuper de Messire Isidore de Boutentrain, annonça Angus.

Et ils se mirent au travail. Mais alors que Wiglaf nettoyait la tête encrassée de Messire Hubert, sa brosse se mit à mousser, mousser de plus en plus. Et cette odeur… Elle lui rappelait un souvenir lointain, mais il ne savait pas quoi. Tiens, c'était étrange, le nez de Messire Hubert semblait avoir rétréci. Nom d'un dragon ! Comment était-ce possible ?

— Par la lance de Messire Lancelot ! s'écria Angus de l'autre côté de la galerie. J'ai arraché l'oreille de Messire Isidore !

Wiglaf tâta le visage de sa statue. Il n'était pas dur, comme du marbre, mais mou, comme…

— Quel radin, ce Mordred ! Ces sculptures ne sont pas en marbre, elles sont en savon !

Du savon ! Soudain, Wiglaf se souvint. Il avait senti cette odeur lorsque son père avait acheté une nouvelle auge à cochon et que sa mère leur avait donné un bain à ses douze frères et lui !

Angus prit un peu de savon entre ses doigts pour modeler une nouvelle oreille à Messire Isidore.

— Hum, elle n'est pas vraiment comme l'autre, si ? s'inquiéta-t-il.

Wiglaf jeta un œil et constata que, en effet, Messire Isidore avait un drôle d'air.

— Oui, eh bien, j'ai fait de mon mieux, reprit Angus.

Puis il ajouta :

— Dis, Wiglaf, et si Verso ne te voyait pas pendant quelque temps ? Tu crois qu'il t'oublierait ?

— Peut-être, répondit Wiglaf (mais il espérait bien que non).

— Bon, alors je vais aller le voir tout seul, proposa Angus.

Son ami hocha la tête.

— Vas-y. Je rangerai ton seau.

Il regarda Angus s'éloigner dans la grande galerie des Ancêtres. Ce n'était pas juste. Après tout, c'était lui qui avait eu l'idée de garder cet œuf de dragon. Mais il allait se tenir à l'écart un moment, si cela pouvait rapprocher Angus et Verso.

Il finit de nettoyer les bottes de Messire Hubert, puis empoigna les deux seaux. Il les rapportait à Potaufeu lorsqu'il vit Angus surgir comme un fou.

— Wiggie ! Wiggie ! Verso a disparu !

Wiglaf lâcha les deux seaux.

— Mais où a-t-il bien pu aller ?

— Daisy a essayé de m'expliquer, répondit Angus, mais je ne comprends rien. Viens vite !

Ils filèrent au poulailler où le cochon raconta à Wiglaf ce qui s'était passé.

— Ilum estum partium parum cettum portum. Etum j'ayum entendum unum grosum splashum.

— Verso est parti par la porte de derrière, traduisit Wiglaf. Et ensuite Daisy a entendu un gros splash !

— Il est tombé dans les douves ! hurla Angus. Vite, Wiggie ! Il faut le sauver.

Mais, juste à cet instant, Wiglaf entendit crier :

— Maaaaan-maaaan !

Et il vit Verso bondir joyeusement vers lui. *Boing ! Boing ! Boing !*

Lorsque le dragonnet entra en sautillant dans le poulailler, les volailles s'éparpillèrent en caquetant. Il était trempé et avait des algues de douve accrochées dans les écailles. Wiglaf avait l'impression qu'il avait grandi depuis le matin.

— Man-man ! ronronna-t-il en se frottant le museau contre lui.

Et soudain, bam ! il lui donna un coup de tête dans le ventre.

— Pouf ! Il est sacrément costaud.

Puis Verso s'approcha en sautillant de Daisy. *Boing ! Boing !* Mais le cochon en avait assez.

Elle s'enfuit hors du poulailler et fila vers la bibliothèque.

Le dragonnet revint en trois bonds vers Wiglaf. *Boing ! Boing ! Boing !*

— Sors le livre, Angus ! cria-t-il. Il faut qu'on le dresse.

Angus tira *Dressez votre dragon en 97 leçons* de sa poche.

— Vas-y, il obéira mieux si c'est quelqu'un qu'il aime qui le dresse.

Et il se mit à lire :

Le dressage commence à la minute où le dragonnet sort de l'œuf. Il ne suffit pas de dire : « Non ! Arrête ! Ouille, ça fait mal ! » pour dresser un dragon. Le dressage doit vous permettre de devenir ami avec votre dragonnet (ce qui aura son importance lorsque votre dragonnet se changera en énorme monstre cracheur de feu qui peut vous arracher la tête, vous calciner et ramasser ce qui reste dans sa patte griffue pour vous emporter dans sa grotte où il… Attendez une minute. Où en étais-je ?). Enfin, bref, dresser votre dragon peut être un jeu, un jeu qui demande de la patience, de l'entraînement et une certaine résistance à la douleur.

Suivez les étapes de 1 à 97 pour dresser votre dragon en toute sécurité. Enfin, en toute sécurité, c'est un peu exagéré, mais disons que vous y survivrez.

1) Le meilleur moment pour nourrir votre dragonnet, c'est quand il a faim (mais pas trop quand même).

2) Ayez toujours une trousse de secours sous la main.

3) Achetez un tube géant de crème pour soigner les brûlures.

4) Ne tournez jamais le dos à votre dragonnet.

5) Ne lui montrez jamais que vous avez peur.

Décidément, le professeur Assicouchédebout n'était pas très rassurant. Wiglaf jeta un coup d'œil à Verso. Aaah ! Le dragonnet était en train de souffler des flammes par les naseaux. Il allait mettre le feu à la paille !

— Arrête, Verso ! lui cria-t-il.

Il se pencha et le prit dans ses bras.

Le petit dragon lui lécha la joue.

— Ils disent comment l'empêcher de mettre le feu à tout ce qui l'entoure ?

Angus feuilleta le livre.

— Voyons voir... *Dangers...*, marmonnait-il en tournant les pages. Ah voilà !

28) Le feu

La plupart des dragonnets aiment cracher des flammes par les naseaux pour faire comme les grands.

Pouvez-vous transformer ce comportement dangereux en comportement utile ?

La réponse est oui !

Montrez à votre dragonnet comment allumer les bougies de votre dîner aux chandelles.

Apprenez-lui à allumer votre cigare.

Demandez-lui de faire rôtir vos Vieumallows (mais ne lui en donnez surtout pas).

Pour qu'il crache du feu, dites : « Feu ! » et, pour le faire arrêter, regardez-le dans les yeux et dites : « Cessez le feu ! »

Si vous ne parvenez pas à capter le

regard de votre dragonnet, allez au paragraphe n° 29.

— Bien, allons-y, dit Wiglaf.

Regarder Verso dans les yeux, ça ne semblait pas trop compliqué.

29) Mettez-vous face à votre dragonnet.

Wiglaf posa Verso par terre et se plaça face à lui.

Agitez une anguille sous son nez.

Wiglaf tira une anguille de sa poche et la brandit sous le museau de Verso.

Si vous êtes droitier, tenez-la dans la main gauche, on ne sait jamais, le pire peut arriver. Gauchers, utilisez votre main droite.

Wiglaf changea vite de main.

Maintenant levez la récompense au niveau de vos yeux.

Wiglaf allait lever l'anguille au niveau de ses yeux quand slurp ! l'anguille disparut.

Il réessaya mais slurp ! la même chose se reproduisit.

Angus se replongea dans le livre.

Si votre dragonnet a avalé l'anguille tout rond, allez au paragraphe 30.

30) Pour être un bon dresseur de dragonnet, vous devez vous affirmer. C'est vous le chef. C'est vous qui commandez. C'est vous qui donnez les ordres ! Tout cela dépend de VOUS. Et maintenant faites-moi obéir ce dragonnet !

Wiglaf hocha la tête.

— C'est moi qui commande, Verso, affirma-t-il en s'efforçant de prendre un ton sévère.

— Man-man ! gazouilla le petit dragon.

Wiglaf éclata de rire.

— Oh, Verso, tu es trop drôle !

— Maaaaan-maaaan ! Maaaan-maaaan !

Le dragonnet lui arracha une autre anguille des mains. Slurp !

Angus reposa le livre.

— Wiglaf ! Tu es irrécupérable !

Son ami haussa les épaules.

— Je n'aime pas jouer les chefs. Ce n'est pas dans ma nature.

Angus lui tendit le livre.

— Tiens, je vais essayer.

Mais avant qu'il ait pu sortir une anguille de sa poche, Verso était déjà parti en sautillant vers le fond du poulailler.

— Verso ! Reviens !

Les garçons se lancèrent à sa poursuite mais le dragonnet se faufila dans un trou de la muraille du château.

Les deux amis le suivirent. De l'autre côté, Wiglaf mit sa main en visière pour protéger ses yeux du soleil. Il regarda dans les douves.

— Tu le vois ?

— Non, mais voilà oncle Mordred. J'espère qu'il ne va pas le voir non plus !

Chapitre six

Angus et Wiglaf se tapirent dans un renfoncement de la muraille. Mordred les dépassa sans les remarquer, il se dirigeait à grands pas vers l'arrière du château.

— Il doit vérifier que tout est bien propre, commenta Angus.

Wiglaf ne quittait pas les douves des yeux. Il vit soudain une petite tête surgir de l'eau. Le dragonnet avait une anguille vivante dans la gueule. Il renversa sa tête en arrière et l'avala tout rond. Puis il battit des ailes dans l'eau, comme un chien qui s'ébroue.

— Qui va là ? tonna Mordred.

Il scruta le fossé de ses yeux violets, mais le dragonnet avait replongé sous l'eau.

Wiglaf ne recommença à respirer que lorsque le directeur s'éloigna.

— Voilà Verso ! s'écria Angus. Il faut qu'on le sorte de là.

Il prit Wiglaf par le bras et, avant qu'il ait pu protester, splash ! les deux apprentis Massacreurs se retrouvèrent dans l'eau.

Brrrr ! Elle était glacée. Wiglaf écarta d'une main les algues qui lui collaient au visage tout en nageant avec l'autre.

— Je le vois ! annonça Angus. Viens vite.

Wiglaf rejoignit son ami.

Seule la minuscule tête du dragonnet dépassait à la surface. En les voyant approcher, il gazouilla gaiement :

— *Vrrrrrsssss !*

Lorsque Angus l'atteignit, le petit dragon, les yeux brillants, replongea sous l'eau.

— Il croit que c'est un jeu, grommela Wiglaf.

— Ohé, du bateau !

Il leva les yeux. Sur le bord du fossé se tenait Messire Baudruche, le professeur de gymnastique de l'EMD.

— Vous faites quelques longueurs de crawl, à ce que je vois. Bravo ! Un peu d'exercice te fera le plus grand bien, Angus. Allez, Wiglaf, tends les bras, lui recommanda-t-il en faisant le geste dans les airs.

Les garçons corrigèrent leur position.

— Voilà ! c'est beaucoup mieux, les félicita le professeur.

Juste à ce moment-là, Verso sortit à nouveau la tête de l'eau.

Mais le professeur Baudruche ne le vit pas, car il était en train de mimer le crawl.

— Regardez, les gars. Entraînez-vous tous les jours et vous deviendrez des hommes, des vrais, comme moi !

— *Vrrrrssss ! Vrrrrssss !* sifflait le dragonnet.

Maintenant le professeur Baudruche leur montrait comment nager la brasse.

— Et vous pourrez battre l'École des Exterminateurs de Dragons au cent mètres nage libre, s'enthousiasmait le professeur. Bon, je vous laisse, j'ai rendez-vous avec ma chère princesse Rototo pour le déjeuner. Continuez comme ça !

Il leur fit signe avant de s'éloigner sur le chemin du Chasseur où il vivait dans une petite chaumière avec sa douce épouse.

Alors que Wiglaf lui rendait son salut, Verso jaillit de l'eau juste sous son nez. Il était en train d'engloutir une autre anguille. Wiglaf voulut le prendre dans ses bras, mais le dragonnet tout trempé et glissant lui échappa.

— Allez, Verso ! Viens voir maman !

— Maaaaan-maaaaan ! brailla le petit dragon en s'élançant vers lui.

Mais au moment où il allait l'attraper, Verso plongea. Et il recommença encore et encore.

Pendant ce temps, Angus s'était approché sans bruit.

Il nageait sur place derrière le dragonnet.

— Verso, regarde-moi ! ordonna-t-il.

Le petit dragon se retourna.

Angus ne tenta pas de l'attraper. Il leva le menton, gonfla ses narines et soutint le regard de l'animal.

Verso pencha la tête sur le côté, se demandant visiblement s'il était sérieux.

Le garçon garda les yeux rivés sur Verso en sortant lentement le bras de l'eau. Il avait une anguille dans la main. Il l'agita sous son nez.

Verso loucha, perplexe, mais ne tenta pas de l'avaler.

Doucement, Angus leva l'anguille à la hauteur de son visage. Et soudain… Oui, ils se regardaient dans les yeux !

— Tu peux manger ta récompense, maintenant, Verso, dit Angus.

Et il lui tendit l'anguille, sans cesser de fixer ses yeux jaune et rouge.

— … mais n'oublie pas que C'EST MOI QUI COMMANDE ! ajouta-t-il.

— Pppppa, souffla Verso.

Angus sourit.

— Tu as entendu, Wiglaf ? Il m'a appelé papa !

— J'ai entendu. Allez, maintenant dis-lui de sortir de l'eau parce que, sinon, on va finir par attraper la mort !

Verso suivit Angus jusqu'au poulailler, comme un petit chien. Les garçons ne pouvaient pas retourner au château dans leurs uniformes trempés et pleins de vase, aussi décidèrent-ils de sécher le Défi-Ménage et de passer l'après-midi dans le poulailler, à dresser Verso.

Même Daisy, qui était rentrée de la bibliothèque avec une grosse pile de livres, fut étonnée de ses progrès. En un après-midi, Angus lui avait appris « Assis » et « Couché ». Le professeur Assicouchédebout conseillait d'entraîner les dragonnets à obéir à la fois aux gestes et à la voix.

Les jours suivants, entre deux corvées de Défi-Ménage, ils poursuivirent son dressage

avec « Pas bouger », « Viens », « Panier »,
« Donne la patte » et « Chut ». Comme il
adorait jouer, Wiglaf lui apprit à jouer à
chat-dragon et à cache-cache. Mais celui
qu'il préférait était un jeu de son invention.
Wiglaf l'avait baptisé dragon-clown. Verso
devait faire des grimaces jusqu'à ce que les
deux garçons se tordent de rire.

Pendant ce temps, Verso ne cessait de
grandir. Sa petite crête arrivait désormais à
l'épaule de Wiglaf.

Un soir, juste avant l'extinction des
torches, Érica vint s'asseoir sur le lit de
Wiglaf. Cela faisait un moment qu'ils ne
s'étaient pas vus car elle était toujours soit
en Patrouille Poubelle soit en Mission Spéciale de Récurage.

— La Patrouille Poubelle est finie, lui
annonça-t-elle. Baratinus et moi, nous
avons jeté le tas d'ordures de Potaufeu dans
la fosse.

— Cette montagne de déchets ? s'étonna
Angus.

Érica hocha la tête, toute fière.

— Et comment va le truc ? Le fameux truc dont je ne connais même pas l'existence.

— Très bien, répondit Wiglaf. Angus est un excellent dresseur de trucs.

L'intéressé sourit, flatté.

— Il suffit de regarder un dragon dans les yeux pour lui faire faire ce que tu veux, confia-t-il.

— Ah oui ? fit Érica, intriguée. C'est bon à savoir.

Puis elle haussa les sourcils.

— Mais où est passée ta couverture, Wigounet ?

— Le truc avait besoin d'un bon petit lit.

Aussitôt, Érica s'éclipsa ; elle revint un instant plus tard avec un oreiller et une couverture bien épaisse.

— Tu me connais, j'ai tout en double, dit-elle en les déposant sur le lit de son ami.

Cette nuit-là, Wiglaf dormit comme un bébé. Il n'avait jamais dormi sur un oreiller, il avait l'impression de flotter sur un nuage.

Il ferma les yeux et sombra dans ses rêves, le sourire aux lèvres.

Il rêva de Verso qui l'appelait :

— Maaaaan-maaaan ! Maaaaan-maaaan !

Wiglaf se retourna dans son sommeil. Son oreiller était devenu dur et plein de bosses. Il ouvrit un œil. Deux yeux jaunes le fixaient.

— Man-man, ronronna Verso en se blottissant contre lui.

Et il lui lécha le visage.

Wiglaf se redressa. Ce n'était pas un rêve. C'était la réalité. Verso s'était glissé dans son lit ! Mais il ne pouvait pas rester dans le dortoir, n'importe qui risquait de le découvrir ! Où pouvaient-ils l'installer s'il s'échappait sans cesse du poulailler ? Et s'il replongeait dans les douves ? Qui sait ce qu'il inventerait la prochaine fois…

— Verso ! grommela Wiglaf. Qu'est-ce que je vais faire de toi ?

— Maaaan-man, marmonna-t-il d'une voix ensommeillée. Mmm…

Wiglaf ne put s'empêcher de sourire. Il ferma les yeux et remonta la couverture d'Érica sous son menton. Il verrait bien demain…

Chapitre sept

BING ! BANG ! BING ! BANG !

Potaufeu tapait sur une poêle à frire avec sa louche à servir la soupe.

— Debout, les gars, réveillez-vous !

Wiglaf ouvrit brusquement les yeux. Il allait sortir du lit lorsqu'il aperçut une tête verte et biscornue à côté de lui sur l'oreiller.

Voyant qu'il était réveillé, Verso se mit à crier :

— Man-man !

Wiglaf lui plaqua la main sur le museau et tira la couverture par-dessus leurs deux têtes. Comment allait-il se sortir de là ?

— Wiggie, tu dors ? demanda Angus.

— Non, mais… euh… je crois que je vais rester un peu au lit.

— Pourquoi ? Tu es malade ?

— Si on veut…

Il n'osait pas lui dire ce qui se passait réellement.

— Je parie qu'il fait semblant pour être dispensé de corvée de ménage, se moqua Baratinus.

— Tu as de la fièvre ? s'inquiéta Angus.

— Non, j'ai… j'ai un ver.

— Oh, non ! Tu as mangé des anguilles crues, Wigounet ? voulut savoir Érica.

— Non…

— Mais comment peux-tu savoir que tu as un ver, alors ? insista Angus.

— J'ai le VER SO-litaire, répondit Wiglaf.

— Le ver so… Oh, je vois, fit son copain, qui avait compris.

— Je vais chercher le vermifuge à la cuisine, décréta Érica.

— Je t'accompagne, annonça Baratinus. Moi aussi, je veux mon pin's de premiers secours !

Ils entendirent leurs pas qui s'éloignaient dans les escaliers.

— Une fois, mon frère a eu un ver dans le ventre, dit Angus.

Wiglaf se demandait pourquoi il parlait si fort, mais il n'allait pas tarder à le comprendre. Son ami poursuivit :

— Et, pendant la nuit, le ver lui est ressorti par le nez ! Il faisait plus d'un mètre !

— Beurk ! s'écrièrent en chœur les autres élèves, dégoûtés.

— Ça s'attrape, les vers ? demanda Baldrick.

— Oh que oui, confirma Angus, c'est extrêmement contagieux.

Wiglaf entendit toute la classe s'enfuir du dortoir en courant. Bien joué, Angus.

Lorsque le calme fut revenu, il souleva la couverture.

— Ppppa ! s'exclama Verso, tout content.

— Comment diable a-t-il fait pour monter jusqu'ici ? s'étonna Angus.

Wiglaf haussa les épaules.

— Aucune idée.

Verso bondit hors du lit.

— *Vrrrrssss ! Vrrrrssss !*

Le dragonnet avait encore grandi. Il était de la même taille qu'Angus !

— Il faut qu'on le fasse sortir d'ici. Et tout de suite.

Juste à ce moment-là, la porte s'ouvrit.

Angus jeta la couverture sur le petit dragon en ordonnant :

— Pas bouger, Verso !

C'était Érica.

Wiglaf poussa un soupir de soulagement.

— Voilà le vermifuge, dit-elle en lui tendant une fiole de liquide brunâtre.

Lorsqu'elle vit la silhouette recouverte d'une couverture, elle se figea.

— Ne me dites pas que c'est...

— Non, non, on ne te dit rien, répondit Wiglaf.

— Alors je n'ai rien vu.

— Non, non, tu n'as rien vu.

Elle ferma les yeux.

— Mais, quand même, ce rien-là a beaucoup grandi ! Il ne faudrait pas que Baratinus le voie… et il va arriver d'une minute à l'autre !

— Va à sa rencontre ! Empêche-le de monter, Érica ! supplia Angus.

Wiglaf l'arrêta.

— Attends ! Érica, toi qui as tout en double, tu n'aurais pas un uniforme à nous prêter ?

Elle hocha la tête, les yeux toujours fermés.

— Servez-vous. C'est dans mon coffre en bois. Mais ne marchez pas sur mon tapis de Messire Lancelot, d'accord ?

Sur ces mots, elle tourna les talons et se rua dans les escaliers.

Dans le coffre d'Érica, sur le dessus, Wiglaf trouva un casque, une tunique toute propre et une paire de chausses.

— Angus, tiens-moi Verso que je l'habille.

Il eut un peu de mal à faire rentrer la queue du dragonnet dans les chausses mais, dix minutes plus tard, deux élèves de l'EMD escortaient une étrange créature en uniforme d'apprenti Massacreur hors du dortoir des premières années. Baratinus se trouvait sur leur chemin, il ne pouvait l'éviter. Heureusement Érica lui avait demandé de lui montrer tous ses badges et, absorbé par sa tâche, il ne leva pas la tête. En passant devant le bureau du directeur, ils entendirent un « cling cling ! » familier : Mordred était occupé à compter ses pièces d'or.

— Ouf ! soupira Wiglaf, soulagé.

Mais, à sa grande horreur, juste à ce moment-là, Mordred passa la tête par l'entrebâillement de la porte.

— Dis-moi, mon neveu, brailla-t-il en apercevant Angus. Après 9 999, qu'est-ce qu'il y a ?

— Dix mille, oncle Mordred.

— Ah, je le savais ! C'est la faute de ces maudits inspecteurs. Ils m'embrouillent la cervelle.

Le directeur claqua la porte.

— *Vrrrrssss !* siffla Verso.

Il partit devant eux et descendit les dernières marches en bondissant, *boing, boing…*

Au troisième rebond, ses ailes déchirèrent la tunique d'Érica. Il se mit à battre des ailes en sautant, sautant, toujours plus haut. Et, soudain, hop ! il resta dans les airs.

— Il vole ! s'écria Angus.

— Hum… plus ou moins, constata Wiglaf. On a bien fait de lui mettre un casque.

Verso descendit en piqué vers le sol, puis remonta et s'élança au-dessus de la cour du château. Il se posa en catastrophe dans un arbre, à quelques mètres du Vieux Poiluche, le dragon empaillé que les Massacreurs utilisaient pour s'entraîner.

— Pppa-pppi ! s'écria-t-il gaiement.

Puis il voleta en piaillant :

— Man-man ! Pppa-pppa !

— C'est très bien, le félicita Angus. Maintenant, au pied !

— Pppa-pppa !

Verso descendit droit sur lui. Il rebondit deux ou trois fois avant de s'arrêter à ses pieds.

— Bravo, Verso ! le félicita-t-il en lui lançant une anguille.

Wiglaf et Angus l'accompagnèrent jusqu'au poulailler.

— Désolum ! fit Daisy en les voyant entrer.

Elle expliqua à Wiglaf que, en se réveillant ce matin, elle s'était aperçue que Verso avait disparu. Il était trop turbulent pour qu'elle continue à le surveiller.

— Allez, Daisy, l'encouragea Angus. Ça te fait de la compagnie.

— Mais Verso ne tient pas en place, fit remarquer Wiglaf. Baratinus commence à se douter de quelque chose. S'il voit Verso, il ira tout rapporter à Mordred. Ce serait une catastrophe !

— Non, je montrerai à mon oncle comme je l'ai bien dressé et il me laissera le garder comme animal familier.

— Tu peux toujours rêver ! Il faut qu'on trouve un meilleur plan, décréta Wiglaf.

— Allons prendre le petit déjeuner, répliqua Angus. Je ne peux pas réfléchir l'estomac vide.

Les garçons venaient de s'asseoir à la table des premières années avec leurs plateaux de petit déjeuner quand Wiglaf aperçut un énorme rat à la porte de la salle à manger. Jamais il n'avait vu une bestiole de cette taille !

Lorsque Mordred, qui était à la table des professeurs, leva les yeux de son bol, il se mit à crier :

— Nom d'un dragon à moustaches !

Il bondit de sa chaise pour tenter de le chasser.

— Ouste, ouste, va-t'en, sale bête. Si les

inspecteurs trouvent un rat dans la salle à manger, ils vont fermer l'école, pas de doute !

— Non, Messire, c'est moi Yorick, votre messager ! s'écria le rat.

Et il ôta son masque de rongeur poilu.

— Je le savais, affirma Mordred en s'épongeant le front avec le revers de sa cape en velours. Cette inspection me met les nerfs en pelote, c'est tout. Alors quelles nouvelles, Yorack ?

— Les inspecteurs viennent de quitter le Lycée des Parfaits Chevaliers. Ils ont passé l'inspection haut la main. À ce que j'ai compris, ils ont obtenu des points en plus parce qu'ils laissent du temps libre à leurs élèves pour leur travail personnel.

— Du temps libre ? répéta Mordred. Jamais entendu parler de ça.

— Demain, les inspecteurs se rendront au Collège des Chevaliers Sans Peur et ils seront à l'École des Massacreurs de Dragons après-demain.

Yorick se gratta la tête.

— Ou peut-être l'inverse, je ne sais plus.

Mordred leva ses yeux violets au ciel.

— De toute façon, il faut se tenir prêt !
tonna-t-il. Mes enfants, vous avez bien tra-
vaillé…

Des hourras s'élevèrent dans la salle.

— Oh, oh, murmura Angus. Oncle Mordred ne fait jamais de compliments.

Wiglaf sentait que le pire était à venir.

— … Mais ce n'était qu'un début. Jusqu'à
l'arrivée des inspecteurs, vous allez frotter,
nettoyer et récurer du sol au plafond, poursuivit le directeur.

Les hourras se transformèrent en grogne-
ments.

— C'est pourquoi je vous ai fait faire de
nouveaux badges !

Mordred brandit un gros macaron rouge
bordé de plumes.

— Qui veut gagner ce magnifique badge ?

— Plus le badge est beau…, chuchota
Wiglaf.

— Plus la corvée casse le dos, compléta Angus.

Alors que Mordred agitait sa récompense dans les airs, Wiglaf jeta un coup d'œil par la fenêtre et il faillit s'étrangler avec sa tartine de confiture d'anguilles. Il était nez à nez avec Verso ! Le dragonnet voletait sur place en battant furieusement des ailes. Lorsqu'il vit que Wiglaf l'avait repéré, il remua les oreilles.

— Angus !

Il lui donna un coup de coude en désignant la fenêtre du menton.

— Par la lance de Messire Lancelot ! s'exclama Angus.

Fronçant les sourcils, il fit signe au dragonnet de s'éloigner. Mais Verso se contenta de l'imiter, fronçant les sourcils et agitant les pattes.

Wiglaf était en état d'alerte. Il fallait qu'il fasse partir le dragonnet avant que quelqu'un ne le voie. Il baissa les yeux vers ses tartines de confiture d'anguilles. La gelée grise et tremblotante lui fournit la réponse. Il se leva d'un bond.

— Je vais être malade ! cria-t-il en pla-quant la main sur sa bouche.

Et il fila hors de la salle à manger.

— Je vais t'aider, Wiggie, annonça Angus en lui emboîtant le pas.

Les deux amis sortirent du château comme des flèches et se ruèrent dans la cour.

— Verso ! Au pied ! ordonna Angus.

Le dragonnet fonça sur eux en piqué. Mais, au dernier moment, il changea de direction et pénétra à l'intérieur du château.

Wiglaf et Angus se précipitèrent dans le hall d'entrée. Le portrait de Mordred s'était décroché du mur et les armures gisaient sur le sol, en pièces détachées, un casque par-ci, une cotte de mailles par-là. La piste des dégâts les mena dans la grande galerie des Ancêtres.

— Il a croqué un bout d'épaule de Messire Isidore de Boutentrain ! s'écria Wiglaf.

— Il a mangé le bouclier de Messire Hubert ! gémit Angus.

— Le voilà !

Verso s'était posé à l'autre bout de la galerie. Il se léchait les griffes comme s'il avait fait un véritable festin. Wiglaf vit que le piédestal sur lequel se trouvait le buste de Mordred était vide. En voyant les garçons courir vers lui, le dragon leva la tête.

— Man-man ! Pppa-pppa ! cria-t-il en laissant échapper de grosses bulles de savon.

Soudain un cri monstrueux leur transperça les tympans.

— Nom d'un crapaud pustuleux ! Un taureau blessé s'est introduit dans l'école ? demanda Wiglaf

— Non, c'était oncle Mordred, murmura Angus.

Chapitre huit

— Je vais leur faire la peau, aux vandales qui ont mis mon château à sac, rugit Mordred. Je vais les écarteler sur le chevalet, jusqu'à leur arracher les bras et les jambes !

Des pas lourds résonnèrent dans l'escalier.

Wiglaf avala sa salive.

Angus tremblait.

— Il n'a pas l'air de très bonne humeur.

— M-m-man-man ?

La petite crête de Verso était plaquée sur sa tête tant il avait peur.

— Vite ! cria Wiglaf. Cachons-le dans le dortoir.

Il sortit un bout d'anguille de sa poche et l'agita sous le nez du dragonnet qui le suivit en trottinant. Wiglaf jeta le morceau de poisson à l'intérieur du dortoir et attendit que Verso y soit entré pour refermer la porte en vitesse derrière lui. Juste à temps.

Mordred venait de surgir comme un diable dans la galerie. Il était plus rouge que rouge.

— Ces misérables saccageurs de château ont beau se cacher, ils ne pourront pas m'échapper. Pas à moi, Mordred le Merveilleux !

Ses yeux étincelants tombèrent sur les deux apprentis Massacreurs.

— Qu'est-ce que vous faites là ? Vous n'êtes pas en train de nettoyer, frotter et récurer ?

— On-on cherche les vandales qui ont saccagé ton château, oncle Mordred, bafouilla Angus.

Mordred opina du chef.

— Ah, très bien, très bien.

Soudain, ils entendirent des coups sourds à l'intérieur du dortoir. Le cœur de Wiglaf battait aussi à grands coups dans sa poitrine.

— Nom d'un dragon ! s'exclama le directeur. Qu'est-ce que c'était ?

— Quoi donc, oncle Mordred ? demanda innocemment son neveu tandis que les coups s'amplifiaient.

— Ce bruit !

— Quel bruit ?

Angus se tourna vers Wiglaf.

— Tu as entendu un bruit ?

— Un bruit ? fit celui-ci alors que quelque chose tombait par terre avec fracas.

— Ça ! s'écria Mordred. Vous avez entendu ça, quand même ?

— Mais quoi, tonton ? s'étonna Angus. Tu crois avoir entendu quelque chose ?

Mordred écarquilla ses yeux violets. Il était livide.

— Tu insinues que j'entends des choses, mon neveu ?

— C'est possible, tonton, fit Angus, l'air préoccupé.

C'est alors que, sous les yeux horrifiés de Wiglaf, la porte du dortoir s'ouvrit. Verso apparut, les yeux brillants, dans le dos du directeur de l'EMD. Il sourit en découvrant ses canines pointues.

Mordred laissa échapper un profond soupir.

— L'inspection… Toute cette pression… Ces maudits élèves qui ne me rapportent pas une once d'or. Cet interminable Défi-Ménage… et maintenant le saccage ! Tout ça aurait raison du plus solide des hommes !

Verso se mit à sautiller sur place dans l'encadrement de la porte.

« Surtout ne vous retournez pas », suppliait mentalement Wiglaf.

— Tu as besoin de repos, oncle Mordred, affirma Angus.

Verso écarta les commissures de ses babines avec ses griffes pour déformer sa bouche en une hideuse grimace.

— Oui, vous devriez aller faire une bonne sieste, Messire, renchérit Wiglaf.

— Je vais te raccompagner à ton bureau, mon pauvre tonton, proposa Angus en le prenant par le coude. Tu vas pouvoir t'allonger…

— Ppppa-pppa ? fit Verso.

Mordred se retourna d'un bond et resta pétrifié en découvrant le dragonnet. Verso louchait et tirait la langue tout en remuant ses petites oreilles roses.

— Par les culottes du roi Ken ! s'exclama Mordred. Tu as vu ça, mon neveu ?

— Quoi donc ?

Les yeux violets du directeur se révulsèrent et il s'écroula contre le mur.

— J'entends des voix. Je vois des monstres. Je vais m'allonger, j'ai besoin de repos, il faut que je me reprenne.

Et tout en continuant à marmotter, il partit en titubant vers son bureau.

— *Vrrrrrssss !* siffla Verso qui croyait avoir gagné ce petit jeu très amusant.

Wiglaf et Angus le poussèrent à l'intérieur du dortoir.

— Ouf, la chance ! soupira Angus.

— Oh non ! Verso a voulu se faire un nid ! gémit Wiglaf.

Le dragonnet avait arraché toutes les couvertures et les avait entassées au milieu de la pièce. De nombreux lits avaient été retournés dans l'opération. L'oreiller d'Érica était éventré. Il y avait des plumes partout.

— Wiggie ? C'est quoi, ça, sur le tapis d'Érica ? s'inquiéta Angus.

Wiglaf s'approcha.

— De la crotte de dragonnet ! Pile sur la tête de Messire Lancelot ! Le docteur Sloup avait raison, quelle puanteur ! Pouarc !

— Oh non ! hurla Angus. Verso a vidé toute ma réserve secrète !

Il lui lança un regard assassin.

— Encore heureux qu'il n'ait pas mangé les Vieumallows !

Mais Verso ne comprenait pas. Il sautillait sur le lit d'Angus en chantonnant :

— Man-man ! Pppa-ppa ! Man-man !
Pppa-ppa !

C'était peut-être le bon moment. Wiglaf
osa enfin se lancer :

— Tu sais, Angus, il faut qu'on ramène
Verso d'où il vient.

— Non, on le garde ! Je vais le dresser
pour qu'il ne casse plus rien. Et puis c'est
toi qui as voulu qu'on prenne cet œuf !

— Je sais, mais Verso grandit à vue d'œil.
On ne peut pas garder un dragon adulte
dans le château. Il sait voler, il peut trouver
à manger tout seul. Il saura bien se
débrouiller.

Angus croisa les bras sur sa poitrine.

— Avant toute décision, il faut qu'on
range tout ce bazar.

Il ramassa les couvertures pendant que
son ami s'acharnait à nettoyer la crotte du
tapis d'Érica. Et Verso les aida même à
remettre les lits en place. Wiglaf joua les
dragon-sitters pendant qu'Angus allait
déjeuner. Et Angus le garda pendant que

Wiglaf descendait dîner. Puis, juste avant que les autres élèves ne remontent dans le dortoir, ils couchèrent Verso dans le lit de Wiglaf.

Alors qu'Angus le bordait, le dragonnet leva les yeux vers lui.

— Pppa-pppa !

— Je vais te raconter une histoire, Verso, annonça Wiglaf. Il était une fois un œuf orange, tout seul dans son nid.

— Man-man…, murmura Verso en fermant les yeux.

— Mais deux enfants trouvèrent cet œuf et le rapportèrent dans leur école. Et…

— … C'était toi, Verso ! compléta Angus.

Verso ouvrit les yeux en ronronnant :

— *Vrrrrssss !*

— Donc un dragonnet sortit de l'œuf, poursuivit Angus. Il n'était pas plus grand qu'un petit lapin. Les garçons s'occupèrent bien de lui. Et le bébé dragon grandit, grandit, grandit…

Ils entendirent un léger ronflement.

Verso soufflait de petites bulles de savon par les naseaux.

Mis à part son long museau vert, on aurait dit un apprenti Massacreur comme les autres, paisiblement endormi. Angus tira la couverture par-dessus sa tête.

— Mais le dragonnet était devenu trop grand pour rester à l'école, continua Wiglaf bien que Verso dormît alors profondément.

Il regarda Angus dans les yeux tout en parlant.

— Alors les deux garçons l'emmenèrent dans la forêt des Ténèbres. Le petit dragon s'envola. Il rencontra d'autres dragonnets et il vécut heureux jusqu'à la fin de sa vie.

Verso sourit dans son sommeil et poussa un petit soupir de contentement.

— Mmm-mmm.

— Tu as gagné, murmura tristement Angus. On le ramènera dans la forêt cette nuit.

*

Lorsque tous les élèves du dortoir furent endormis, Wiglaf sortit de sa cachette, sous le lit d'Angus. Angus réveilla Verso et ils se faufilèrent sans bruit hors de l'EMD.

— J'espère qu'il ne va pas avoir peur dans la forêt, chuchota Angus alors qu'ils marchaient sous le ciel étoilé.

Verso sautillait gaiement entre eux. De temps en temps, il dépliait ses ailes et voletait un peu. Enfin, ils arrivèrent au bord de la rivière Boueuse.

— C'est l'heure du goûter de minuit, décréta Angus.

Il sortit deux Vieumallows de sa poche et les embrocha sur un bâton qu'il tendit à Verso.

— Feu !

Woush ! Le dragonnet les fit griller jusqu'à ce qu'ils soient parfaitement dorés et caramélisés.

Les deux apprentis Massacreurs étaient en train de se lécher les doigts lorsqu'un bruit étrange retentit dans l'obscurité.

Haaaa-haaaa-haaaa !

— Qu'est-ce que c'était ?

Verso déploya ses ailes et répondit :

— Haaaa-haaaa-haaaa !

Wiglaf entendit un bruissement d'ailes. Les garçons se plaquèrent au sol. Deux dragonnets surgirent de la nuit. Ils étaient exactement comme Verso sauf qu'ils avaient les oreilles violettes. Et qu'ils étaient un peu plus grands. Ces dragonnets-là étaient des dragonnettes !

— Voilà ses sœurs ! souffla Wiglaf.

Les trois petits dragons sautillaient gaiement en se pourchassant. Ils crachèrent des flammes par les naseaux. Poussèrent leur terrible cri de ralliement. Wiglaf avait conscience d'assister à une scène exceptionnelle. Il espérait juste qu'Angus et lui y survivraient pour la raconter aux autres.

Soudain un courant d'air leur ébouriffa les cheveux, les dragonnets s'envolaient ! Ils tournoyèrent dans les airs au-dessus de leurs têtes.

— Mmman-mmman ! Pppa-pppa ! cria Verso.

Il s'approcha d'eux et leur adressa sa plus belle grimace, celle où il louchait, tirait la langue et remuait les oreilles. Puis il reprit de l'altitude pour rejoindre ses sœurs, et les trois dragonnets disparurent dans le ciel de la forêt des Ténèbres.

Chapitre neuf

Quelques jours plus tard, le cœur lourd, Wiglaf et Angus se rendaient au cours du docteur Sloup. Tant pis s'ils étaient en retard et devaient s'asseoir devant. Ils allaient être copieusement arrosés de postillons, mais ça leur était égal.

Tout leur était égal maintenant que Verso était parti. Angus avait perdu l'appétit. Wiglaf rêvassait pendant les cours. Une fois, il avait cru voir Verso voler dans le ciel. Mais ce n'était qu'un corbeau.

La Saint-Globule était passée depuis longtemps et les inspecteurs n'étaient toujours pas là. Mordred avait enfin décidé qu'il n'y avait plus rien à nettoyer, frotter ou récurer dans le château, les cours avaient donc repris.

Comme prévu, Wiglaf et Angus durent s'asseoir au premier rang. Wiglaf voulut sortir son cahier de la poche de sa tunique, mais… ce n'était pas un cahier ! C'était *Dressez votre dragon en 97 leçons* ! Verso… Il se demandait ce que devenait leur petit dragonnet, lâché dans la nature.

— SSssssers zélèves !

Le docteur Sloup tapota son bureau avec sa règle.

— Qui ssssait comment des zeunes zens sssans défenssse peuvent sssse protézer face à de méssssants dragons ?

Ignorant la réponse, Wiglaf leva son livre comme un bouclier pour se protéger des postillons.

C'est alors que la porte de la classe s'ouvrit. Mordred fit son entrée, dans sa plus belle cape de velours violet.

— Poursuivez, docteur Sloup. Ces messieurs pourront ainsi juger de la qualité de l'enseignement dispensé par les excellents professeurs de l'École des Massacreurs de Dragons.

— Les inspecteurs ! chuchota Angus.

Un grand inspecteur, un petit inspecteur et un gros inspecteur entrèrent dans la classe à la suite du directeur. Ils étaient vêtus de longues robes noires et avaient de gros registres sous le bras. Ils observèrent les élèves et prirent des notes. Puis ils se rendirent au cours de traque des dragons de Messire Mortimer où ils firent de même. Et encore de même à la séance d'entraînement des Massacreurs du professeur Baudruche. Wiglaf trouva qu'ils n'avaient pas l'air franchement enthousiaste.

Enfin, l'heure du déjeuner arriva.

Wiglaf, Angus et Érica s'assirent côte à côte.

— Tu n'as pas faim, Angus ? s'inquiéta Érica.

— Pas vraiment. Je suis triste sans Tu-sais-qui.

— Verso est avec ses sœurs, maintenant. Il est heureux, affirma Wiglaf.

— Oui, mais moi pas, répliqua son ami. J'avais enfin trouvé un animal qui m'aimait bien et voilà, il est parti !

Avant la fin du repas, Mordred se leva et prit la parole :

— Bien, mes chers petits, vous pouvez sortir de table. C'est l'heure de la récréma… de la récréation !

La récréation ? Angus et Wiglaf échangèrent un regard. Qu'est-ce que leur directeur racontait ? Il n'y avait jamais de récréation à l'EMD.

— Nos élèves aiment avoir un peu de temps libre, expliquait Mordred. Comme ça, ils peuvent faire… enfin, des choses qu'on fait dans son temps libre.

Angus leva les yeux au ciel.

— Tiens, on n'a plus besoin de ça, dit Wiglaf en sortant *Dressez votre dragon en*

97 leçons de sa poche. On pourrait profiter de la récréation pour le rapporter à la bibliothèque.

Angus et Érica hochèrent la tête. Et, après le déjeuner, les trois Apprentis Massacreurs montèrent en haut de la tour Sud.

Wiglaf poussa la porte de la bibliothèque.

— Frère Dave ? Je suis venu rapporter…

Il s'arrêta net en voyant une grande silhouette se jeter sur lui.

— Mmman-man ! Mmman-man !

Wiglaf cligna les yeux.

— Verso ?

— Verso ! s'écria Angus.

Et il sauta au cou du dragonnet.

— Comment est-il arrivé jusqu'ici ? s'étonna Érica.

— Par la voie des airs, mes jeunes amis, en passant par la fenestre, expliqua frère Dave. Comme vous le savez sans doute, Daisy me rend chaque jour visite en ces lieux. Elle m'a abondamment parlé de vostre dragonnet, et m'a conté comme vous le dressâtes.

Wiglaf sourit. Brave Daisy !

Des pas retentirent dans les escaliers. Sans doute des élèves qui venaient passer leur récréation à la bibliothèque. Frère Dave allait être ravi.

— Par chance, la fenestre était ouverte, disait-il. Je souhaitais aérer un peu la bibliothèque avant que les inspecteurs…

— Les inspecteurs ! s'écria Wiglaf. Ce sont eux, ils arrivent !

Justement la voix de Mordred résonnait dans les escaliers :

— Et voici la dernière étape de notre visite. La bibiothèque.

— Bibliothèque, le corrigea le grand inspecteur.

— Bien entendu, acquiesça Mordred. Nous avons des tonnes de… de ces choses qu'on trouve dans les bibliothèques.

— Des livres, précisa le gros inspecteur. C'est ce qu'on appelle des livres.

Érica s'efforça de pousser Verso vers la fenêtre.

— Au revoir ! Allez, ouste ! Envole-toi !

Mais Verso crut qu'elle voulait jouer. Il se mit à sautiller partout.

— Angus, fais quelque chose, supplia Wiglaf.

— Verso, au pied ! ordonna-t-il.

Une seconde plus tard, la porte de la bibliothèque s'ouvrit.

— Bien le bonjour, frère Dan ! lança Mordred. Je vous ai amené des gens importants qui aimeraient visiter votre biothè... hum, cette salle.

Frère Dave se leva pour les accueillir.

— Soyez les bienvenus, Messires.

Le cœur de Wiglaf battait à tout rompre. Les trois inspecteurs firent le tour des lieux.

Ils virent une grande baie par laquelle le soleil entrait à flots. Ils virent des rangées et des rangées de livres. Ils virent un élève allongé sur un gros coussin en forme de licorne. Et deux autres sur un coussin en forme de dragon. (Enfin, c'est ce qu'ils crurent.) Et tous étaient plongés dans leurs lectures.

Le grand inspecteur sourit à Wiglaf.

— Vous venez souvent lire ici ?

L'apprenti Massacreur leva les yeux de son livre.

— Oui, à chaque récréation, Messire.

— Veuillez nous excuser un moment, dit l'inspecteur.

Le petit trio se réunit pour tenir un conciliabule, puis le grand reprit la parole :

— Messire Mordred, selon la loi, nous devrions fermer votre établissement.

Le directeur joignit les mains.

— Non, je vous en prie, mes bons seigneurs, ne faites pas cela !

— La nourriture est infâme, poursuivit l'inspecteur. Les dortoirs glacés et la plupart de vos enseignants complètement demeurés !

— C'est vrai, admit Mordred, mais…

— Chut !

L'inspecteur bien en chair le fit taire.

— Mais cette bibliothèque est une vraie réussite. C'est la raison — la seule raison — pour laquelle nous ne fermerons pas l'EMD.

Et sur ces mots, les trois inspecteurs quittèrent les lieux.

Mordred leur courut après.

— Alors je suis toujours directeur, hein ? C'est bien ça ? J'ai passé l'inspection. Je le savais ! Bon, de combien vais-je augmenter les frais d'inscription ?

Lorsque la porte se referma derrière eux, tout le monde laissa éclata sa joie dans la bibliothèque.

— Vive l'EMD ! lança Érica.

— Bravo, Verso ! fit Angus en serrant le « coussin » dans ses bras. Tu peux rester ici pour toujours !

— À dire vrai, Angus, répondit frère Dave, l'animal est libre d'aller et venir à sa guise, par nostre fenestre. Lorsqu'il est là, je me réjouis de sa présence, car comme dit Daisy, c'est un vrai dragon de bibliothèque.

Et il tapota fièrement la tête de Verso.

Le dragonnet ronronna, tout content.

Wiglaf sourit. Il ne regrettait vraiment pas d'avoir apporté cet œuf orange à l'École des Massacreurs de Dragons.

Kate McMullan vit à New York. En 1975, elle a décidé de tenter sa chance en écrivant un premier livre. Vingt-cinq ans plus tard, elle a, sous différents pseudonymes ou en collaboration, plus de cinquante ouvrages pour la jeunesse à son actif. Pour *L'École des Massacreurs de Dragons*, elle reconnaît avoir puisé directement dans ses souvenirs de collégienne : « Chaque personnage s'inspire de quelqu'un que j'ai rencontré réellement, depuis ma meilleure amie au collège jusqu'à l'orthodontiste de ma fille ! » C'est pourquoi, quand elle se rend dans les écoles, Kate McMullan conseille aux apprentis écrivains de prendre pour point de départ leur propre vie et leurs propres expériences.

Bill Basso est né et a vécu longtemps dans le quartier de Brooklyn, à New York. Il vit à présent dans le New Jersey, avec sa femme et leurs trois enfants. Après des études d'art et de design, il a illustré de nombreux livres pour la jeunesse et collabore régulièrement à des revues destinées aux enfants.

**Retrouve Wiglaf
et ses amis dans la série :
L'École des Massacreurs de Dragons**

1. Le nouvel élève

Martyrisé par ses frères et exploité par ses parents, le jeune Wiglaf passe son temps à récurer les gamelles et à nourrir les cochons. Mais une affiche placardée sur l'arbre à messages du village va changer sa vie : il va entrer à l'École des Massacreurs de Dragons ! Le problème, c'est que Wiglaf ne supporte pas d'écraser une araignée…

2. La vengeance du dragon

Panique à l'École des Massacreurs de Dragons ! Sétha, la terrible Bête de l'Est, veut venger son fils, le dragon Gorzil. Elle a juré de retrouver le responsable de sa mort… qui n'est autre que Wiglaf, le nouvel élève ! L'apprenti héros, qui ne supporte pas la vue du sang, n'a que quelques heures pour se préparer à l'affronter…

3. La caverne maudite

Les élèves de l'École des Massacreurs de Dragons partent camper dans la forêt des Ténèbres ! Les apprentis Massacreurs sont chargés d'une mission périlleuse : retrouver la grotte où Sétha, la redoutable Bête de l'Est, a caché son trésor. Wiglaf s'arme donc de tout son courage et, avec ses amis Angus et Érica, il suit le professeur Baudruche dans une aventure à mourir... de rire !

4. Une princesse pour Wiglaf

« L'élu de mon cœur aura les cheveux roux, son prénom commencera par un W, et il sera un Massacreur de Dragons ! » a décidé la princesse Rototo. Mordred, le directeur de l'école, pense que Wiglaf est le candidat idéal. D'autant que celui qui présentera à la princesse son futur époux sera récompensé par une marmite pleine d'or. Mais Wiglaf n'a pas du tout l'intention de se marier !

5. Le chevalier Plus-que-Parfait

Un grand concours a été organisé à l'École des Massacreurs de Dragons. Le prix de la victoire : rencontrer Messire Lancelot, le plus parfait chevalier de tous les temps. Lorsqu'il apprend qu'il est l'heureux gagnant, Wiglaf n'en revient pas. Son amie Érica, réputée pour être la meilleure élève, est tout aussi surprise. Le grand jour arrive enfin mais Messire Lancelot ne semble pas aussi parfait qu'il y paraît…

6. Il faut sauver Messire Lancelot !

La fée Morgane a jeté un terrible sort à Messire Lancelot. N'écoutant que leur courage, Wiglaf et ses amis se lancent à sa recherche. Mais la forêt des Ténèbres regorge de pièges et d'obstacles. Les apprentis Massacreurs viendront-ils à bout des trolls, sorcières et autres créatures malfaisantes qui se dressent sur leur chemin ?

7. Le tournoi des Supercracks

Wiglaf, Angus et Érica vont représenter l'EMD au tournoi interécoles des Super-cracks. Le prix ? Une immense coupe en or remplie d'autant de pièces d'or que l'équipe a gagné de points. Réussiront-ils à vaincre les Parfaits Chevaliers, les élèves qui depuis 99 ans remportent le concours ?

8. La prophétie de l'an 1000

Bientôt le passage à l'an 1000, la fin du monde est proche ! Un avis a été placardé sur tous les arbres de la forêt. Mais le comte Pochepleine a trouvé le moyen d'empêcher la terrible prophétie de se réaliser : fabriquer un Hippopotame d'Or en demandant à chacun de participer. Wiglaf, Angus et Érica rencontrent alors un étrange garçon qui vient du futur...

Et découvre aussi d'autres héros de séries...